鹿児島大学島嶼研ブックレット

15

TOUSHOKEN BOOKLE

魅惑の島々、奄美群島―歴史・文化編―

山本宗立・高宮広土

MAMOTO Sota　TAKAMIYA Hiroto

●目次●

魅惑の島々、奄美群島―歴史・文化編―

The Amami Archipelago Rich in Natural and Cultural Resources:
History and Culture

Edited by
YAMAMOTO Sota and TAKAMIYA Hiroto

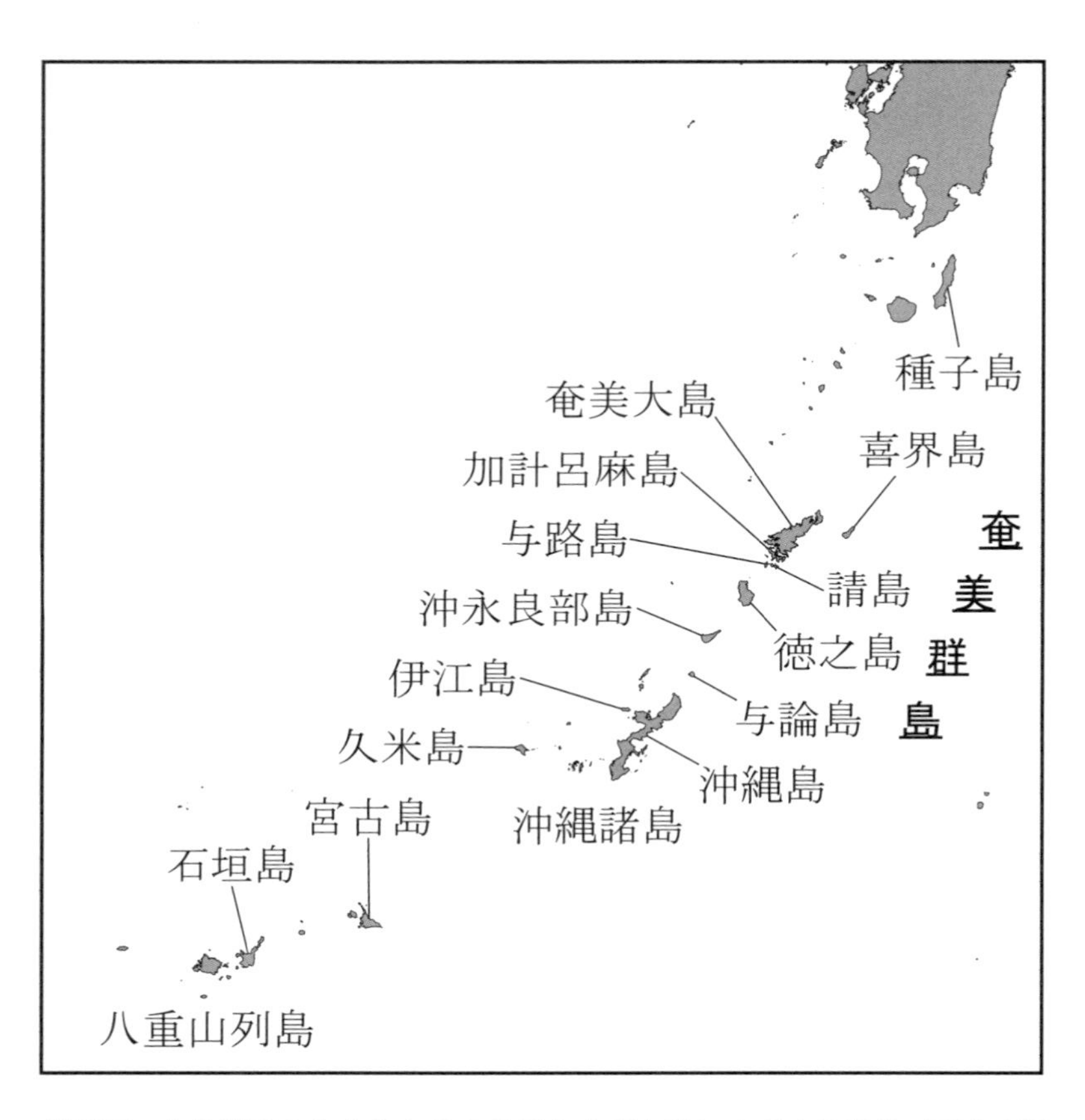

巻頭図　奄美群島の有人島とその位置および本書にでてくる島名（国土交通省国土政策局「国土数値情報（行政区域データ）」をもとに編者が編集・加工）

I　はじめに

「奄美の島には何もない」しばしば奄美の方々がため息をつきながら、このような言葉を口にすることがあります。本当に「奄美は何もない島」なのでしょうか。いや、奄美には素晴らしい歴史、文化、自然、そして産業があります。このような情報を奄美の方々や島外の方々がご存知ない理由の一つは研究者にあると思われます。これもよく地元の方が嘆いたことです。「本土の研究者に協力しても、あの人たちはデータを本土に持って帰るだけで、その内容を教えてくれない」。この問題を解決する一つの手段として、鹿児島大学国際島嶼（とうしょ）教育研究センター（島嶼研）は、二〇一五年四月に教職員が常駐する奄美分室を奄美市に設置し、奄美群島により密着した教育と研究を始めました。

例えば、文部科学省特別経費プロジェクト「薩南諸島の生物多様性とその保全に関する教育研究拠点整備」（鹿児島大学、二〇一六年度〜二〇一九年度）では、陸上・海洋生物の詳しい分布調査、生態系の多様性維持機構の解明、人と自然との関係性などを明らかにするための総合的な研究（理系と文系の研究者による共同研究）を奄美群島で実施しました。そして、ここが肝心な点ですが、以前と異なり、私たちの研究成果を地元の方々にできるだけ還元するため、「奄美分室で語りましょう」などの勉強会、奄美群島の先史時代、島唄、産業、生物多様性に関するシンポジウム、陸上・海洋生物の観察会、奄美群島島めぐり講演会などを開催しました。奄美分室開設後はそれ以前と比較すると地元への還元が増えたとはいえ、それでもほんの一部に過ぎませんでした。また、参加してくださった地元の方々も、どちらかというと一部の人たちに限られていました。そこで、奄美群島の方々に私たちの研究成果をより一層還元することを目的として、『南海日日新聞』で連載コラム「魅惑の島々、奄美群島」を企画するにいたりました（二〇二〇年一月〜二〇二一年三月）。この連載によって、より多くの方々に島の魅力をお伝えすることができたのではないかと思います。

「魅惑の島々、奄美群島」の連載は、島嶼研の専任教員、兼務教員、客員研究員が執筆を担当し（総勢四九名、六六本掲載）、以下の八つのカテゴリーで構成されていました。「①島嶼文明」、「②歴史・伝統文化」、「③社会・産業経済」、「④自然（陸）」、「⑤自然（海・川）」、「⑥自然（利用）」、「⑦自然（外来種・諸問題）」および「⑧教育の場としての島」です。それらのうちから、奄美群島の「歴史・文化」に関するコラムを集め、再構成したのが本書です。すなわち、発掘調査などから判明した先史時代から近世までのシマンチュの暮らし、奄美群島にある戦跡の保全・継承、そして大島紬や島唄といった奄美群島の伝統的な文化について紹介します。

「奄美の島々には歴史や文化はない」のでしょうか。「ない」と感じている読者が本書読後にこの問いに対して「ノー」と答えられるようになること、「ある」と思っている読者にはより一層奄美の魅力が深化することを願いつつ、奄美群島の歴史と文化への旅を始めましょう。（編者）

Ⅱ　歴史

1　先史時代の奄美・沖縄諸島―島嶼文明の可能性―

高宮広土（鹿児島大学国際島嶼教育研究センター）

古代文明と聞くと古代エジプト文明やマヤ文明のピラミッドなどが頭に浮かぶのではないでしょうか。奄美・沖縄諸島の先史時代（文字のない時代、この地域では約三万五〇〇〇年前から約一〇〇〇年前まで）にはピラミッドなどはありません。ではなぜ、本項のような副題が付されているのでしょうか。ここで文明を「人類が到達した究極的な文化」とすると、奄美・沖縄諸島先史時代には世界に類を見ない究極的な文化があったことが明らかになりつつあります。以下にその点を紹介します。

私たちの直接の祖先（ヒト、学名ホモ・サピエンス）は二〇万年ほど前にアフリカで誕生しました。彼らは約一万年前までには、ユーラシア、オーストラリア、北米、南米へと、南極大陸以外のすべての大陸へ拡散しました。この拡散の中で特に驚愕（きょうがく）的な点は最北端のアラスカから最南端のチリまで数千年で縦断したことです。この点はヒトの多様な環境への適応能力の高さを明示するものです。

さらに強調したいことは、彼らは狩猟採集民でした。つまり、狩猟採集民は色々な環境に適応する高い能力を持っていたのです。しかし、彼らでさえも一万年前以前に島へ渡ることは困難を伴いました。実際、世界中の島々で一万年前以前（旧石器時代）にヒトがいた島は一〇〜一五ほどです。しかし、奄美大島、徳之島、沖縄島、伊江島、久米島からは旧石器時代の遺跡が確認されています。さらに、奄美・沖縄諸島の北と南に目をむけると、種子島、宮古島および石垣島からも旧石器時代の遺跡が知られており、南西諸島からは計八つの島から旧石器時代（約三万五〇〇〇年前〜一万年前）の遺跡が報告されています。この点で南西諸島は世界に匹敵します。

旧石器時代に人間集団のいた島がほんの一握りという事実の説明の一つは、島の環境は食料となる自然資源が十分ではなく、そのため狩猟採集で生活することが難しく、人間集団が島で生活するためには農耕が必要であるというものです。新石器時代（一万年以降）になり農耕がはじまり、その後世界各地のほとんどの島は人の姿をみるようになりました。しかし、世界はやはり広い。例外的に狩猟採集民のいた島もありました。これらの島々の特徴は、①面積が広い、②大陸や大きな島に近接している、③アザラシなどの海獣が利用できる、④母集団から食料となる動植物の持ち込みがあった、⑤「①〜④」の組み合わせの可能な島、です。

奄美と沖縄の島々はこれらどれ一つも当てはまりません。しかしながら、近年の調査で判明しつつあることは、奄美・沖縄諸島の貝塚時代（約七〇〇〇年前〜一〇〇〇年前）には狩猟・採集・漁撈民がいたということです（写真1）。それも数千年間（旧石器時代を入れると数万年間）。このような島は他

写真1　奄美群島最古のシイノミの仲間（約11,000年前、龍郷町半川（はんごー）遺跡出土）。奄美・沖縄諸島の狩猟・採集・漁撈民は長期間シイノミなどの堅果類を食していた

にほとんど知られていません。大袈裟な表現をすることが許されるのであれば、奄美・沖縄諸島から得られつつあるこの情報は、人類史および世界史に新たなページを加えるものと思われます。

前述したように、奄美・沖縄諸島には数千年間（旧石器時代を入れると数万年）という長期にわたって自然界から得られる動植物を利用して生計を立てていた人々がいたようです。貝塚時代の人たちは本土の弥生人・文化との交流を通して、稲作の存在を知っていました。しかし、彼らは、稲作農耕に飛びつきませんでした。研究者の中には、農耕を頑なに拒んだと表現する研究者もいます。その大きな理由は、貝塚時代の狩猟・採集・漁撈民たちが「遅れていた・野蛮」だったからではなく、奄美・沖縄諸島の自然が豊かであったからでしょう。そのため労力を伴う農耕を受け入れる必要がなかったと考えられます。

しかし、その時代も約一〇〇〇年前に終焉を迎えました。この頃、奄美・沖縄諸島ではイネやムギ類を中心とする農耕が導入されたことが明らかになっています（写真2）。この農耕は奄美群島で八〜一二世紀、沖縄諸島では一〇〜一二世紀に始まりました。つまり、農耕はまず奄美群島に導入され、そこから沖縄諸島へと伝わったのです。この頃、奄美・沖縄諸島では狩猟・採集・漁撈から農耕への変遷があったわけですが、狩猟採集から農耕への変遷のあった島は世界ではほとんど知られていません。

重ねて述べますが、世界中のほとんどの島は農耕を伴った人たちによって植民されました。つまり、狩猟採集の時代はありません。一方、例外的に狩猟採集民のいた島は、ヨーロッパ人などに「発見」されるまで狩猟採集生活を営んでいました。つまり、この点でも奄美・沖縄諸島の先史時代には稀代の文化現象があったことになります。狩猟採集から農耕へというテーマは考古学や人類学などでは最も重要かつ不可解な研究テーマです。狩猟・採集・漁撈から農耕への変遷が「島」で起こったことは、考古学や人類学などにこのテーマに関して大変貴重な情報を提供するのです。

写真２　奄美群島最古の穀類（イネ、喜界町城久遺跡群出土）。約 1,000 年前にこの地域に初めて穀類農耕が導入された

島の環境は大変デリケートといわれています。ヒトが植民する前の島の環境にはそれなりに長い歴史があり、何十万年前、何百万年前あるいはもっと古い時期に、島に動植物が到達し、適応し、進化してきました。その結果、バランスの取れた大変デリケートな環境が創造されました。そこへ外来種がたどり着くと長い歴史の中で培った島の生態系に影響があ

ることは容易に想像できるでしょう。その外来種の中でも最もやっかいな生物がヒトだといわれています。

例えば、ヒトは家、舟あるいは燃料などに森林資源を利用します。ヒトという一種類の動物が島の環境に入るだけでもその生態系に影響を及ぼしますが、ヒトはヒトとともにイヌなどの家畜動物や栽培植物などを意図的に持ち込み、ネズミや雑草など偶然舟に紛れ込んだ動植物までをも島へもたらす場合があります。その結果、世界中の多くの島々ではヒトの植民後、動物の絶滅（オセアニアの島々では約二〇〇〇種の鳥類が絶滅したか、島から姿を消したといわれています）、森林破壊、土砂崩れや資源の枯渇など環境の劣悪化あるいは環境破壊が報告されています。研究者の間ではヒトによる島嶼環境への植民＝環境破壊・環境劣悪化は定説となっています。

「奄美・沖縄諸島先史時代においてもこのような傾向があったはずだ」とこの三〇年ほど研究を行ってきました。研究はデータの蓄積された貝塚時代を対象としました。まず、脊椎動物の分析を実施してきた早稲田大学樋泉岳二（といずみたけじ）氏によると、世界の他の島々と異なり絶滅動物は認められないそうです。最近わかってきたことは、実は貝塚時代の古い時期から人々はアマミノクロウサギを食料の対象としていたようです。

他の島であれば、早い時期から食料の対象となったアマミノクロウサギはおそらくとっくの昔に絶滅していた可能性が高いでしょう。しかし、生存し続け、今日では世界自然遺産のアイドル的な存在となっています。樋泉氏の研究によると脊椎動物の利用は貝塚時代を通して安定していたといいます。また、世界の多くの島々では貝類利用についても研究がなされていますが、①簡単に取れる貝類から採集が難しいあるいは危険を伴う貝へと貝の種類が変化した、②肉を得ることが目的であったため、採集の対象となった貝のサイズは最初大きかったが、採りすぎにより次第にそのサイズが小さくなった、という研究結果が報告されています。

しかし、奄美・沖縄諸島においてはこの点も顕著ではありません。貝塚時代の遺跡から出土する貝類を長年研究してきた千葉県立中央博物館黒住耐二(くろずみたいじ)氏は「ヒトによる貝類への影響はみられない」といいます。動物ほど残りはよくありませんが、植物の種実や花粉などから理解される貝塚時代の植生もヒトによる多大な環境への影響は確認できていません。今日利用できる考古学的あるいは関連分野による分析方法では、今のところ、世界中の多くの島々とは異なり、奄美・沖縄諸島貝塚時代にはヒトによる自然環境への影響は大きくはなかったことが示唆されています。おそらくその前の旧石器時代もそうであったでしょう。そして人間集団が島の環境に影響を及ぼし始めたのは農耕が始まった一一世紀頃からであることが近年の研究で明らかになっています。

奄美・沖縄諸島の先史時代を世界の島々と比較・検証すると、奄美・沖縄諸島では上記四つの点で世界的に大変稀な文化現象があったことがここ三〇年の研究の結果わかりつつあります。世界的にみると「島」の環境で上記四点のうち一つでも認められるとそれは人類史的に「珍しい」島のようです。奄美・沖縄諸島では、一つのみではなく四つも存在した可能性があるのです。

古代文明は世界で六カ所ですが、奄美・沖縄諸島のような先史時代を有する島はひょっとしたら世界に一カ所かもしれません。いわば、究極的な人類文化が先史時代の奄美・沖縄諸島において展開していたかもしれないのです。奄美・沖縄諸島の先史時代には文明の要素である「都市」や「文字」はありませんが、今回ご紹介した事が間違っていないことが判明したら、私たちの世界に誇れる文化に加えてもいいのではないでしょうか。

2　遺跡解明へ、新たな技術―陸上編―

新里亮人（熊本大学埋蔵文化財調査センター）
（鹿児島大学国際島嶼教育研究センター・平成二九年度客員研究員）

近年、奄美群島に残された遺跡の調査が飛躍的に進んでいます。奄美群島の各自治体には考古学を専門とする学芸員が勤めており、土地の開発に伴う発掘調査やその成果に基づく学術研究が盛んになってきたからです。調査の数が増えたばかりでなく、新しい技術の導入により、これまで以上に遺跡の様子が詳しく知れるようになってきました。現場での実践例とそこから得られた成果を紹介したいと思います。

発掘調査ではとにかく図と写真による記録をとります。遺跡から掘り出された遺構（建物や墓など）の発見位置や形状を図上に示すことによって、現場の状況を広く伝えるためです。調査区内で確認された過去の出来事を図に表現し、その特徴から土地の履歴を調べます。そうした意味で発掘調査とは歴史地図を作る一つの手段とも言い換えられます。

現場での図化作業は、以前は手書きが主流でしたが、ここ二〇年来トータルステーションという測距機器が用いられるようになり、広い範囲を高精度で測量することが可能となりました。デジタルカメラ、ＧＰＳの利用はもはや当たり前で、ドローンによる空撮写真やオルソ画像（撮影画像のひずみを補正し、正確な位置情報と尺度データをもった写真）も採用されています。

これら機器の利用によって、喜界島の城久（ぐすく）遺跡群では、数万平方メートルに及ぶ大集落の平面図が作成され、沖永良部島や徳之島では、険しい断崖の中にある洞穴遺跡や古墓の内部形状が詳細に記録されました。私が担当した伊仙町面縄（おもなわ）の前当（まえあた）り遺跡（一一～一二世紀）では石灰岩台地上の平坦地に集落が営まれ、隣接する谷地に水田を設けていた様子が確認されましたが、こうした機材を用いて、周辺地形図の中に調査区平面図を反映し、グスク時代における土地利用を図として表現することができました（図1）。世界測地系の座標が基準となっているため、新たな技術は遺跡の情報を世界地図上に配置することをも可能としています。

遺跡を掘らずとも地中の埋蔵物や構造物を探る探査機器も開発されています。徳之島カムィヤキ陶器窯跡（一一～一四世紀）は、一〇〇ヘクタール以上の森の中に残された窯跡群ですが、窯が埋没している場所を特定するため、磁気探査機による調査が行われました。土は鉄分を多く含むため、火によって高温に熱せられると、周辺よりも磁気が強まる特性をもちます。この磁気異常箇所を突き止めるのが磁気探査機です。

森の中でカムィヤキの陶片が多く見つかる箇所で探査を実施したところ、複数の磁気異常箇所が発見され、地中には多くの窯が残されている可能性が高まりました。探査と同時進行で作成された高精度地形図とこの成果を合わせることで窯跡の残存箇所が地図上に示され、発掘調査を経ずに遺跡の現状を明らかにした調査の成功例となりました。

考古学は文科系の学問として知られていますが、大地に刻まれた痕跡から歴史をひもとくためにはさまざまな学問分野との協業を欠かすことはできません。過去の人々は自然とどのように向

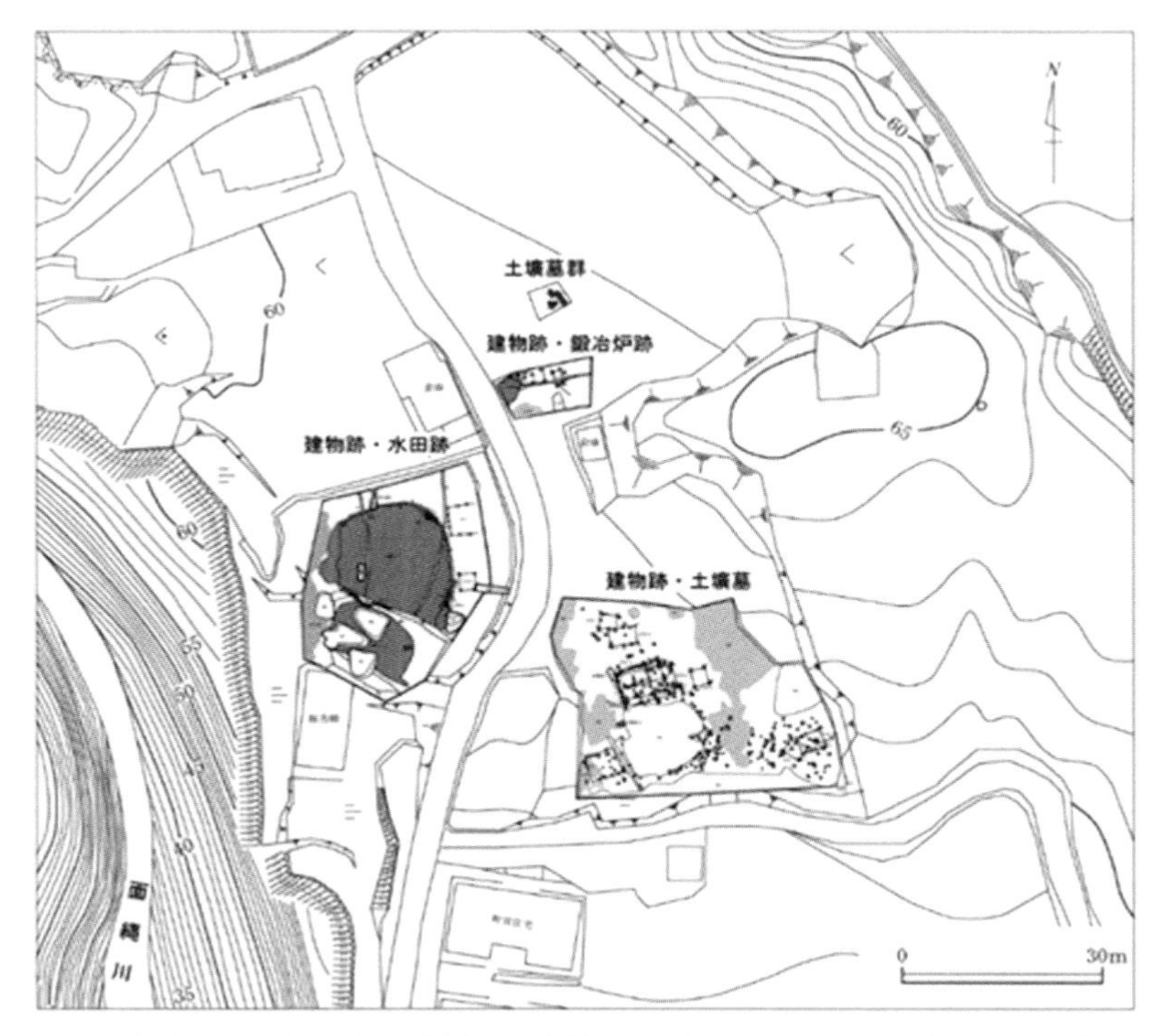

図１　伊仙町面縄にある前当り遺跡の調査区平面図。面縄川に面する西側の谷地に水田跡、東側にある丘陵裾の平坦地に建物跡や墓跡が発見され、地形の特徴をいかした土地利用の様子が明らかとなった

き合い、いかに利用したのか。島嶼の文明史をさらに理解し、より鮮やかに描くためには、新たな技術開発にもアンテナを張りながら遺跡の特性に応じた最良の方法を選択し、新たな知見を得ようとするチャレンジ精神を要します。学芸員が果たすべき役割は大きいといえるでしょう。

3　遺跡解明へ、新たな技術――海底編――

新里亮人（熊本大学埋蔵文化財調査センター）
（鹿児島大学国際島嶼教育研究センター・平成二九年度客員研究員）

過去の人々の活動痕跡は、陸上だけではなく、海底や湖底、あるいは川底にも残されることがあります。波打ち際や川の下流にあった港跡や船の係留地、海底に沈んだ沈没船はその代表例です。奄美群島では一二～一三世紀の中国陶磁器が多量に回収された倉木崎海底遺跡（宇検村）が有名ですが、徳之島では鉄錨や碇石（木製の碇を沈めるためのおもり）が面縄港や山港の海中で発見されています。これに注目した徳之島三町（徳之島町・天城町・伊仙町）は、海に沈んだ文化財の調査と地域の歴史の掘り起こしに取り組んでいます。

水中にある遺跡は、ダイバーや漁師からの情報によって見つかることが多いです。海底の遺物が底引き網によって引き揚げられる場合や、ファンダイブ中に船体の一部や錨などが偶然見つかるなど、その経緯もいろいろとあります。海は陸地よりもはるかに広いので、手当たり次第に潜るだけではただただ時間と体力を消耗してしまいます。そこで重要なのは、日常的に海に携わる方々の協力を得ながら、郷土史料や伝承を調べ、近海の歴史情報を集めて潜水ポイントを絞り込むことです。また、海辺の砂浜や岩礁を歩き、打ち上げられた資料を収集することも大切な作業で、考古学者はこうした情報を整理して潜る対象域を選ぶこととなります。

水中で発見された文化財は水中遺跡の断片資料となりますが、その発見地を地図上に反映するためにはどのような方法があるかを紹介したいと思います。徳之島は徳之島カムィヤキ陶器窯跡（一一～一四世紀）の所在地として知られていますが、カムィヤキを各地に運ぶ起点となった積み出し港はまだ見つかっていません。徳之島三町が町域を越えた連携によって島の周辺海域を調査し、カムィヤキ積み出し港の発見を見据えた海の歴史の解明に果敢に挑戦することとなったのはこうした事情によります。

船の往来と関わりそうな海域はどのような特徴があるのでしょうか。これを明らかにするため、聞き取り調査、海岸調査、郷土史料の収集により知り得た歴史情報を地図上に記し、成果が集中する海域については海底地形測量を実施することとなりました。海底の測量に使用したマルチビームソナーとは、船から発する音波が海底面に反射して戻る時間を計算して海底面までの距離（海の深さ）を測る機器で、ＧＰＳ搭載船の航行ルート下にある海底地形図を作成することができます。伊仙町の面縄港周辺では、これまでに四つ爪を持つ鉄錨（江戸時代、写真３）が複数

写真３　面縄港で発見された四つ爪鉄錨（2015年11月16日撮影）。水面でＧＰＳデータを取得するため、浮きをくくりつける様子

発見されています。事前の調査で記録したそれらの発見位置を完成した海底の地形図に表示したところ、船の停泊に用いる錨がサンゴ礁の裂け目に分布していることが明らかとなりました。当時の船乗りたちが岩場への座礁を避け、水深が深い箇所を狙って船を泊めていたことを推測させます。潜水道具などなく海中の状況を把握しにくい時代、海岸地形に対する彼らの知識の高さには驚かされました。

今のところカムィヤキの積み出し港がどこにあったかはまだわかっておらず、調査はこれからも継続されますが、水中の探査機器が島嶼文明史の解明にも有効であることは確かでしょう。陸上での情報収集、水中での目視、水底の探査。従来の方法と新しい技術を組み合わせることによって未知なる海での歴史が明らかにされる日はそう遠くはないかもしれません。

4　沖永良部、洞窟奥部で行われた農耕儀礼

新里貴之（鹿児島大学埋蔵文化財調査センター）

沖永良部島には実に三〇〇を超える洞窟が存在しています。豊かな地下水をたたえた地下宮殿のような自然の造形美が、メディアでもたびたび取り上げられることから、美しい観光洞窟を有する島としても著名になりつつあります。しかしながら、沖永良部島には、遺跡としての価値が高い洞窟も多数あることをご存じでしょうか。

その一つは中甫（なかふ）洞穴遺跡で、約六〇〇〇年前から利用されていたことがわかっています。観光洞窟として名高い昇竜洞からも、約一〇〇〇年前の人骨と身につけていたガラス玉や管玉などが発見されています。洞窟や岩陰は、風雨を避けることができ、豊かな湧水を持つことが多いため、古来、利用されてきたのでしょう。

ところで今から約一〇〇〇年前の南島は、奄美群島から八重山列島にいたるまで社会的・経済的に、大きな変革を経験することになりました。九州から新しい食器類、穀類農耕、家畜動物、鉄器などが導入され、それまでの、豊かなリーフと森林、散発的な交流によって支えられていた

漁撈採集社会の生活が、農耕社会へと激変しました。今回、その激動の時代に、沖永良部島の洞窟内で行われたであろう祭祀について紹介したいと思います。

鳳雛洞(ほうすうどう)は、全長二一七九・七メートル以上、八つの洞口を持つとされています。一九七七年、関西学院大学探検会がその一部を発見、一九九八年の第五次沖永良部島洞窟探検隊によって全貌が明らかとなりました。二〇〇八年、テレビ朝日による調査で第四洞口内部より土器や人骨が発見されて「周知の遺跡」となり、二〇一一年、初めての考古学調査が入ることとなりました。

第四洞口の開口部は縦穴であり一メートル弱の狭さにもなります。これを降りて斜面となった狭い通路を一〇メートル下ると最下部の水路部分へ到着します。内部に広い空間はなく、何度も落盤した天井が重なり合い、洞穴内の石灰分で横の壁と固着して、いくつかの狭い平坦部と斜面を形づくっています。外の明かりは一切入らず、漆黒の闇です。

最下部の水路には、土器やカムィヤキ（徳之島産陶器）破片が埋没もせずに落ちており、ウシの骨も点在していることにまず驚かされます。水路より一段上の、落盤で形成された平坦部や斜面には、土器がほとんど埋没せずに割れた形で残っており、薄い表土を剥いでみると、ところどころに火を焚いた痕跡が残っていました。平坦部は螺旋(らせん)状にさらに上部に登ることができ、そこにも土器が四分の一に割られたものが置かれていました。壁ぎわには石で囲まれた炉があって、その上には二センチメートルの厚さで木炭層があり、さらにその上に割られた土器が四分の一置かれていました。

炉跡や遺物の位置をすべて記録し、土器、カムィヤキ、ウシ骨、人骨、炉の土などは後日実施する分析のために、一部を除いて持ち帰りました。その後、各分析結果が出てきて、驚きの事態となりました。年代は一部を除いて、ウシ骨、炉の木炭、土器付着炭化物ともに、一一～一三世紀代を示したのです。また、炉の炭には、オオムギのみが大量に含まれることがわかり、そのオオムギの年代までもが一三世紀代だったのです。

分析結果を受け、遺物やその産状を再点検したところ、以下のように、生活空間と捉えるにはことごとくが不自然でした。①ほかにも洞口部はあるが、遺物の集中するのは第四洞口のみ、②光の届かない真っ暗な洞穴の奥に痕跡がある、③内部の平坦部はかなり狭く、日常的に生活できる空間はない、④開口部は狭いところで一メートル弱にも関わらず、内部にウシの骨がある（解体されて持ち込まれた?）、⑤土器は半分だけを洞穴に持ち込み、意図的に割り重ね、離して置かれる、⑥炉にあったのは炭化したオオムギのみ（通常はイネ・コムギ・アワなどとセットで検出される）、⑦海産貝類や魚骨などが全く見つからない、⑧食器としてわずかな土器とカムィヤキしかない（通常は滑石製石鍋、中国陶磁器、鉄器なども生活用具のセットとして多量に出土する）。

写真４　洞窟最上部の平坦面にある、つらら石が固着し祭壇のようになった石の前に置かれた土器。約 1,000 年前のものだが埋没していない（鳳雛洞第４洞口遺跡）

以上のことを統合すれば、この洞穴が単なる生活の場や災害回避のシェルターではなく、南島における農耕導入・展開段階に、農耕に関わる儀礼や祭祀が導入され、洞穴内で行われていたことを示している、と考えられます（写真４）。南島で同類の遺跡はいまだ確認されていません。この調査を機に、自然美のみにとどまらない沖永良部島の洞窟の価値と魅力を、地元の方々によって発信される日が来ることを心待ちにしています。

5　政治的な意味を持つ陶磁器

渡辺芳郎（鹿児島大学法文学部）

江戸時代、奄美群島では陶磁器を生産していなかったため、島外から入手せざるをえませんでした。本土からは肥前（現佐賀・長崎県）陶磁器や鹿児島の薩摩焼が、沖縄からは壺屋焼が流通し、また沖縄を介して中国の陶磁器も持ち込まれていました。つまり奄美群島には「北からの流れ（肥前・薩摩）」、「南からの流れ（中国）」、「島嶼域内での流れ（壺屋）」という三層構造よりなる流通圏が形成されていました。ここでは、その中の「北からの流れ」のうち、薩摩藩の藩窯（はんよう）であった竪野窯の製品を取り上げます。

藩窯とは藩が直営する窯で、藩主をはじめとした上級武家層が使う茶道具や日用品、江戸藩邸での什器（じゅうき）や宴席具、将軍家や他大名への献上品、贈答品の生産が主目的でした。将軍家献上のための最高級磁器・鍋島焼を焼いた佐賀の鍋島藩窯がもっとも有名です。薩摩藩の竪野窯では、白い胎土に透明釉をかけた白薩摩、タイの陶器を模倣した宋胡録写（すんころくうつし）、色の異なる胎土を象嵌（ぞうがん）した三島手（みしまで）などを焼いていました。江戸時代には庶民が簡単に入手できるものではありませんでした。

写真５　加計呂麻島伊子茂・西家伝来の白薩摩丁子風炉（瀬戸内町郷土館保管）

その竪野窯製品が奄美大島の旧家に所蔵されていることがあります。瀬戸内町加計呂麻島伊子茂の西家は、一八世紀後半から代々、与人（最高位の島役人）を務めた家柄です。同家には白薩摩の丁子風炉三点、白土に黒土を象嵌した三島手の丁字風炉一点が伝来しています（瀬戸内町郷土館保管、写真5）。丁子風炉とは、香料の丁子を煎じ香りを発生させ、防臭・防湿に用いる小型の炉であり、竪野窯製品ではしばしば見られます。西家のものはいずれも精緻な白土を用いており、装飾も細やかです。

同じ竪野窯で焼かれた丁子風炉が大和村の盛岡家にも伝わっています（奄美市立奄美博物館保管）。ただしこちらは褐色の釉薬を掛けたものです。丁子風炉が納められた木箱には、嘉永七（一八五四）年の年号とともに、所有者である盛岡家の「前武仁」の名が書かれています。盛岡家は近世において与人などを務めた地域有力者の家柄で、前武仁も弘化三（一八四六）年に与人となっています。このほか竪野窯白薩摩の碗も伝来しています。

似たような事例は沖縄にもあります。久米島においてノロの最高位である「君南風（きみはえ、チンベー）」を多く出した家にも、堅野窯三島手の双耳瓶が伝来しています（久米島博物館保管）。ノロは琉球王府から任命された宗教的権威者であるとともに、その地域において有力者でもありました。

奄美大島における堅野窯製品は、その所有者が地域の有力者であることから、藩からの拝領品である可能性が考えられます。久米島のものは琉球王府を通じて与えられたものでしょう。これら藩窯製品は、その作りの精緻さや美しさはあるとしても、それ以上に藩窯製品であること、藩からの拝領品であることに価値があったと考えられます。所有者にとって拝領は名誉なことであるとともに、藩の権威を背景として所有者自身の権威を高める効力を持っていたと推測されます。藩にとっても、それらを与人などに与えることは、島の支配をより円滑にするための政治的な意味を持っていたのでしょう。

近世陶磁器の多くは、碗や皿などの食器、水などの液体を貯蔵する甕（かめ）や壺、味噌（みそ）やゴマを摺る摺鉢（すりばち）など、日常に必要な商品として広く流通していましたが、それとともに政治権力や権威の象徴としても生産され、流通するものもありました。奄美の旧家に伝わる堅野窯製品は、当時の藩による島支配の一端を伝えているといえるでしょう。

6 記憶を未来につなぐ戦跡

石田智子（鹿児島大学法文学部）

戦争をはじめて自分の目で見た。手安（てあん）の旧日本陸軍弾薬庫（写真6）、西古見（にしこみ）の観測所、加計呂麻島呑之浦（のみのうら）の震洋艇格納壕、安脚場（あんきゃば）の金子手崎防備衛所など、奄美大島南部に位置する瀬戸内町に多数残る戦争関連遺跡（戦跡）の現地で感じた思いです。戦後生まれの私にとって、戦争とは、祖父母から聞く思い出話であり、修学旅行で訪れた長崎原爆資料館や戦争体験者の語りであり、知覧の特攻平和会館で知る辛い選択です。自分とはかけ離れた非日常的な出来事と思っていた戦争が、奄美大島には戦後七六年を経過した今も目の前にあります。実物存在の迫力に圧倒されました。

関心をもって周囲を見渡すと、実は多くの戦跡が身近に残っていることに気づきます。瀬戸内町古仁屋市街地に残る大島要塞司令部跡や奉安殿（ほうあんでん）、龍郷町赤尾木（あかおぎ）にそびえる三本の無線塔など、家が立ち並ぶ現在の生活圏域に残された戦争の痕跡。戦跡はずっとその場所にあったのに、興味や知識がなければ〝見えない〟。しかし、いったん存在を認識すると、戦争にかかわる地域の歴史の語り部となります。未来の人間が過去を知る権利を保障し、現在の平和が当然のものではないと呼びかける存在、それが戦跡をモノとして残す意味です。

奄美群島には、驚くほど残存状態が良好な戦跡が無数に現存します。鹿児島大学生とともに二〇一六年から奄美大島の戦跡の踏査を続けています。その過程で、戦争の記憶を未来につなぐために調査研究を続ける文化財担当者や郷土史家、安全に見学できるように草刈りなどの管理作業を自主的に行う地域住民、より深い理解を手助けしてくれる案内人など、多くの方の取り組みの結果、実物存在と直接対峙できることを知りました。一方で、誰にも関心をもたれることなく、朽ち果ててゆく戦跡も多いです。

写真６　瀬戸内町手安の旧日本陸軍弾薬庫での調査風景

「なぜ考古学者が戦跡に興味をもつのか?」と加計呂麻島で聞かれました。文字記録がない先史時代だけでなく、人類のすべての過去が考古学の研究対象です。沖縄県の研究者がアジア太平洋戦争を対象とする戦跡考古学を一九八四年に提唱したことを契機として、近年は戦跡の調査や保存・活用への関心が高まっています。

戦争関係資料は、戦災による消滅や終戦時の意図的破壊、戦後の開発に伴う撤去のため、多くのものが失われました。それでも、地上のコンクリート建造物や発掘調査で出土する銃砲弾・軍用食器などの資料が残っています。大きな石やサンゴが多量に混じるコンクリートからも、戦争末期の困窮状況を推測できます。順調に発達した明るい側面だけではなく、失敗を繰り返してきた辛く忌まわしい過去も歴史の重要な側面です。

「負の記憶」を記録し、問題解決手段として戦争を選択することの愚かしさを未来へ伝えていくことは、現代人の責務です。長期的視点で現在の世界が構築される過程を知り、未来を生きる方法を探る学問である考古学が担う役割は大きいでしょう。

学生との踏査中、事前に調べた目的地の場所がわからず、笠利町佐仁(さに)集落で道を尋ねました。戦時中に船で出征する若い男性を最後に見送った場所である「万歳岩」の詳しいお話を聞きました。佐仁の方にとって大切な場所。しかし、エピソードを知らなければ、それは普通の岩。軍事施設のような人工物だけでなく、自然景観や場所にも戦争にまつわる記憶がありますが、ヒトの言葉がなければ知ることはできません。モノだけでは意味がありません。今、知識や経験も記録して残さなければ、消えてしまいます。

私たちに何ができるのか。まずは知ることが肝心と考え、鹿児島大学法文学部の考古学ゼミを中心に奄美大島の戦跡と関わりはじめました。少しずつ共鳴の輪が広がり、現在は文化人類学ゼミや日本史・社会科教育ゼミとも連携しています。

戦争体験者の証言（ヒト）や歴史資料に基づく戦争記録（コト）を戦跡（モノ・トコロ）と直接照らし合わせて、相互の価値や歴史認識を検証できる機会は今しかありません。戦争を知らない私たちが、地域の文化遺産として戦跡に新たな価値を見出し、戦争にかかわる記憶や記録を未来につなぐために模索する姿を見守っていただきたいと思います。

7　シマの戦争を聞く

兼城糸絵（鹿児島大学法文学部）

奄美大島は、豊かな自然をもつ島として国内外に知られています。しかし、この美しい島がかつて重要な軍事拠点であったこと、そして数多くの戦争関連遺跡（戦跡）が残されていることは意外と知られていません。かくいう私も、数年前に同僚から教えてもらって初めてその存在を知ったぐらいです。それから興味をもってあちらこちら見て歩いていますが、その中で気づいたことがあります。それは、これらの戦跡の多くが集落のすぐ近くに残っていることです。これはすなわち、住民の目と鼻の先で戦争が起きていたことを意味しています。

では、戦跡と隣り合わせで暮らしていた人々は、戦争をどのように経験したのでしょうか。実のところ、戦跡と地域社会の関わりについては地元の方々が作成した証言集で断片的に知ることができるものの、その実態については体系的に把握されているとは言い難いです。もっとも、現在戦跡となっている建物の大部分はかつて軍事機密として扱われていたため、一般人の立ち入りが制限されていた場所でした。

そのため、おそらく住民もその詳細について知ることはなかったと思われます。とはいえ、これだけの規模の戦跡が人々の暮らしのすぐ近くにあったことを踏まえると、シマでの暮らしに何らかの影響があったと考えられます。だとしたら、当時のシマの人々は、一体どのように戦争を生き抜いてきたのでしょうか。戦跡を見るたびに、このような疑問が次から次へと湧いてきました。

そこで、二〇一八年から鹿児島大学法文学部の文化人類学ゼミ・考古学ゼミの教員と学生がチームとなり、奄美大島において「シマの戦争」をテーマにした聞き取り調査を実施しています（写真7）。

二〇一八年一二月には、龍郷町ではじめての聞き取り調査を実施しました。その際には龍郷町で暮らす七〇代から九〇代の方々に協力していただき、主に戦時中の体験談や戦跡との関わりについてお話を伺いました。防空壕をつくった話や命からがら空襲から逃げた話、戦時中の学校生活や戦後の生活に至るまで「シマの戦争」の一面を知ることができました。

写真7　「シマの戦争」を聞く学生たち（撮影・石田智子）

また、緊張感がある生活を送っていた一方で、当時子どもだった彼らが遊んでいた様子や冗談を言い合ったりふざけあったりしていたというエピソードも伺えました。調査を終えたあと、ある学生がぽつりと「『この世界の片隅に』みたいだ」とつぶやきました。戦争とはいえどもそこには人々の暮らしがあったということ、そしてその暮らしが巨大な暴力によって一瞬で壊されるのが戦争の真の恐ろしさだということを改めて深く考えたようでした。

戦後七〇年以上が経過した現在、戦争を直接体験した世代の方々が少なくなりつつあり、当時の状況を知る「生」の声が失われていこうとしています。それゆえ、戦争体験を直接伺う機会としては今が最後のチャンスだといえます。人々がどのように戦争を生き抜いてきたのかをできるだけ「生」の声に基づいて集めていくこと、そして、それらを誰でも参照可能なように文字化していくことが間違いなく必要になってきます。そうして編まれた「シマの戦争」の記録は、戦争を知らない世代に戦争のことを伝えるうえでも重要な基礎情報となっていくでしょう。

また、島という場所で改めて戦争について考えることにも一定の意義があるのではないかと私は考えています。島嶼部はその地理的な条件も相まって国家の中心部から遠く隔たれている場合が多く、その分、政治的にも経済的にも不利な条件におかれています。ましてや、戦争という非常事態の中ではさらに厳しい状況におかれるうえに、容易に最前線の戦闘地にもなりえる場所でもあります。

それゆえ、「シマの戦争」について考えることは、戦争と社会の関係を検討するうえでも重要な課題となりえるのではないでしょうか。地域の過去や「シマの戦争」を適切なかたちで継承していくためにも、微力ながら大学生や地元の方々と協力して調査をすすめていきたいと思っています。

8　未来につなぐ、ふるさとの記憶

佐藤宏之（鹿児島大学教育学部）

二〇一九年一二月一四日、古仁屋高校の「日本スイーツの聖地」スタディツアーに参加させていただきました。クリスマス間近ということもあり、サンタクロースやトナカイに扮（ふん）した同校の一～三年生四〇人が古仁屋町久慈（くじ）の白糖工場跡周辺をクイズやゲームを交えて案内するツアーに、町内の未就学児や小学生とその保護者計四四人が集まりました。

古仁屋から久慈までのバスの車内では、予習を兼ねたクイズに挑戦。現地で参加者は四班に分かれ、ワークシートを片手に、集落内に残る白糖石や白糖工場跡など四カ所を回り、各ポイントで高校生が出すクイズやゲームを楽しみながら、その歴史について学習しました（写真８）。帰りの車内では、学習した内容を振り返るビンゴゲームで大いに盛り上がりました。

一一月にリハーサルツアーが行われ、わたしはそこにも参加させていただきました。あれから一カ月。高校生が出すクイズや説明を聞くだけだったツアーに、周辺に隠された写真やキーワードを探すゲームや、白糖工場の煙突の長さ（三六メートル）を自分の歩幅で測る体験などが加わり、

写真８　白糖工場の模型を前にクイズに挑戦する子どもたち

子どもたちが楽しく学習できるような工夫のあとが随所に見られました。

「まだまだワークシートに改良の余地があるな」とはおじさんの戯れ言。子どもたちは熱心に高校生の説明を聞きながら、ワークシートに書き込んでいましたし、子どもたちからの質問に高校生が答える場面もありました。白糖工場があったという記憶が、どこまで子どもたちに伝わったのか。それは、すぐに結果を求めるべきものではありません。むしろ、長いスパンで考えるべき問題でしょう。

この間、高校生がどうやったらわかりやすく子どもたちに伝えることができるのかと試行錯誤したこと。そして、当日、各自が責任をもって説明したこと。実はこのことによって、高校生自身が、白糖工場の記憶を未来につなぐという行為を疑似体験していたのです。その記憶は、高校生にたしかに受け継がれたといえるでしょう。

社会との関わりの中でつくられるふるさとの記憶は、人びとがそこで暮らし、生きていた証でもあります。それがなくなるということは、そこに人がいなかったこと、そこに歴史がなかったことを意味します。しかし、いま、地域社会は、高齢化と人口流出、産業の衰退などが相互に絡みあいながら弱体化しており、在来的・実践的な知恵や記憶の継承を困難にしています。他方で、都市に流入した人口が都市で地域社会的なものを形成しているかといえば、必ずしもそうではありません。高校生が小学生にというよりも、近所のお兄ちゃん、お姉ちゃんが近所の子どもたちに一生懸命伝えようとする姿を見て、微笑ましくも頼もしさを感じました。

こうしたふるさとの記憶の継承は、一部の専門家に任せるだけでは完結しません。だからといって、高校生にずっと頼りっきりになるわけにもいきません。むしろ、記憶の継承の輪をつなぐのは、社会のそれぞれの立場でそれぞれに関心をもつ住民一人一人であり、その住民が当事者となって主体的に取り組んでいくことが望ましいでしょう。わたしたちが日々暮らす地域社会は、多くの異質性や多様性を含んでいます。住民一人一人が、互いに異なることを理解し合い、その中でつながりを見いだし、それを育んでいくためには、普段の／不断の関わりが大切になってくるでしょう。

そのうえで、過去を学び、あるいは過去を再発見し、それを継承しつつ、新しいものを生み出していく過程において、多様性を含んだ協働のアリーナとしての「共」を拡大していくしかありません。こうした人びととの新しい関係によって、新しい歴史像が切り拓(ひら)かれるはずです。

その姿を、このスタディツアーに見ることができました。

二〇一九年一二月一四日、ここ古仁屋において、幕末に薩摩藩が建設した久慈白糖工場があったという記憶を未来につなぐ活動をした高校生たちがいたこと。そして、そこに熱心に参加した子どもたちがいたこと。

本稿が、一〇〇年後、一〇〇〇年後、いや、そのさらに先まで、この事実を伝える、たしかな資料となるでしょう。

Ⅲ　文化

1　龍郷柄の誕生を追って

内山初美（あまみ～るクラブ代表）
（鹿児島大学国際島嶼教育研究センター・令和元年度客員研究員）

「大島紬の代表的な柄は?」という問いにほとんどの人が「龍郷柄」と答えると思います。最近は龍郷柄の一部がTシャツや包装紙などにも象徴的に使われているので、奄美を表すアイコンの一つとして浸透しつつあるようです。

「龍郷柄とはどんな柄?」と尋ねられたらどのように答えるでしょうか。実際に柄を見せられたら「これが龍郷柄だ」と答えられますが、口で説明するとなるとなかなか答えられません。最近は、その説明に、ハブやソテツ、ハイビスカスなどを図案化したものという説などが散見されます。

私は一〇年ほど前、龍郷町の文化財保護審議会委員の中田一男氏(一九三四~二〇一九年)に「龍郷柄の原点はアダンの葉で作った風車(かざぐるま)絵図だった」と教えられたことをきっかけに龍郷柄に興味をもちました。令和元(二〇一九)年度、鹿児島大学国際島嶼教育研究センターの客員研究員という立場に恵まれ深く考察する機会を得ました。

中田氏は『龍郷町誌　歴史編』、『龍郷町の文化財』、『龍史会会報・悠久』などに大島紬を含む衣料全般について執筆しています。特に、『龍郷町誌』(一九八八年)の本場奄美大島紬の項には、龍郷柄の成り立ちについて詳しく記載されています。中田氏は明治三三(一九〇〇)年頃織られたという一三枚の紬の見本と二枚の図案を考察しています。その図案にガジモシャ(風車)と説明があり、「図案の中心にある図柄はアダンの葉で作った風車（ガジモシャ）であり、それが二重に組み合わされ発達してソテツ葉模様を生み、ソテツ葉柄と呼ばれた。そして、その後このソテツ葉模様は龍郷柄の基礎となった」としています（写真9）。

アダンの葉で作った風車は、昔の子どもたちの身近な遊具でした。昭和の半ばに子ども時代を過ごした私も、当時身の回りにはたいした遊具もなく、浜辺でこの風車を作り、風に向かって走ったものです。明治時代、風車は私の子ども時代よりも、もっと身近な遊具であったことは容易に想像できます。

風車という名のついた絣（かすり）模様の柄は、明治二八（一八九五）年に当時の島司であった笹森儀助が、本土での紬の流通促進の目的で作った『大島郡織物概集』の他に、『和泊町誌』、『与論町誌』の中にも古い柄の見本として載っています。この古い時代の柄の名に共通するものは風車柄以外になく、中田氏が指摘していることと共通します。

その頃、風車をモチーフにした絣の文様は、手括りで絣糸を作り、織られていましたが、明治四〇（一九〇七）年頃、締機（しめばた）が発明されたことにより、さらに細かくこれらの柄を織ることができるようになりました。それに加え、これらの柄の引き立て役として、ソテツ葉の模様が生まれ、空間を埋める補助的な役割を担いました。それまでの地空きの柄とは異なったソテツ葉模様で、

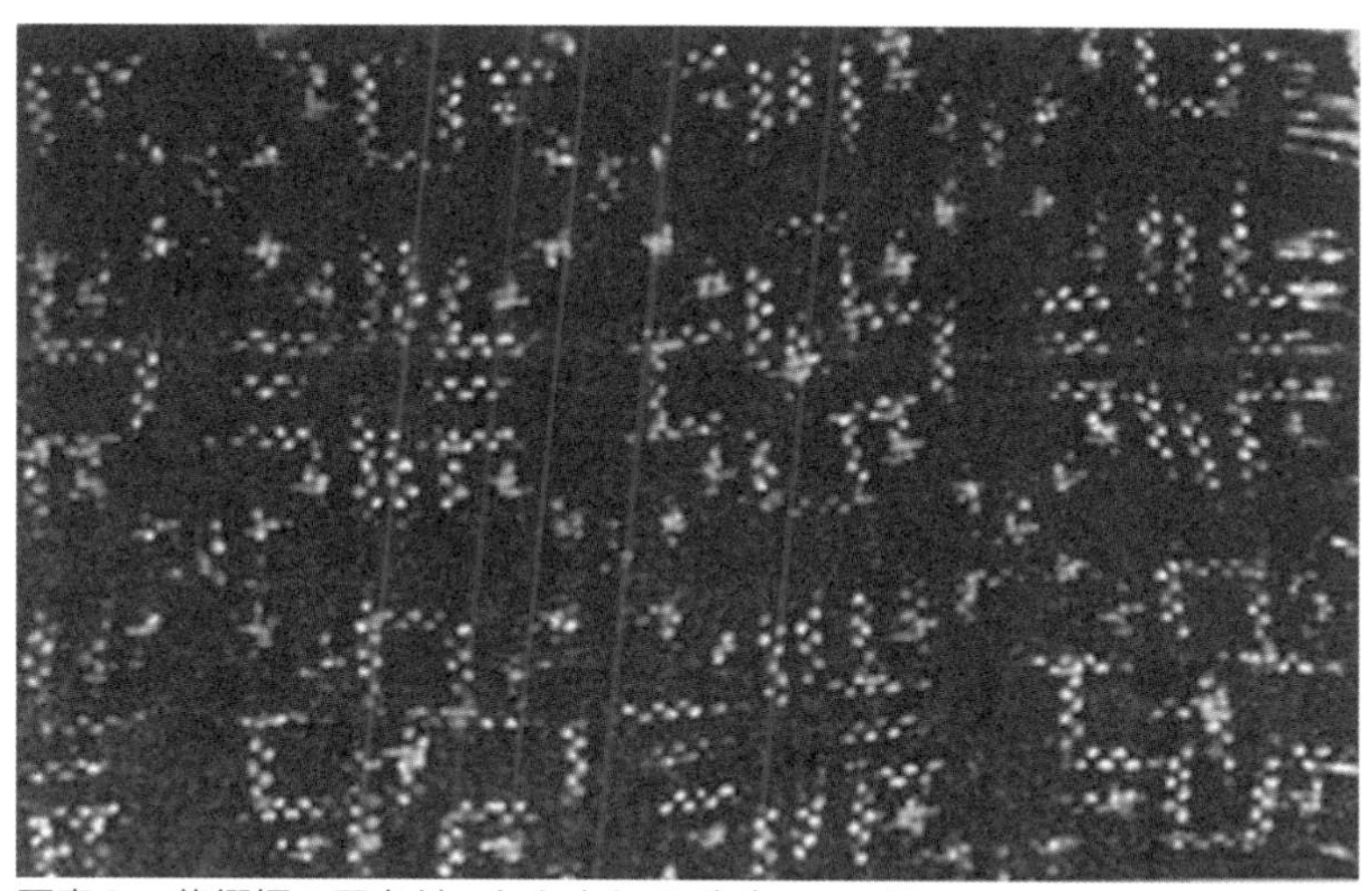

写真９　龍郷柄の原点だったとされるガジモシャ柄

写真 10　龍郷柄四玉

空間を埋める新しいデザインは龍郷の各集落で盛んに取り入れられました。各集落や生産者により呼び名は違ったようですが、本土からの商人や仲買人たちが「龍郷柄」と呼び名を統一しました。

大正時代にはスミ千代柄と呼ばれている四玉の龍郷柄ができ、この頃から現在の一般的な龍郷柄としてのイメージが定着しました。四玉とは、二つの異なる紋様が一セットとなり、横幅の中に四セット配置されているものです（写真10）。

一玉や二玉などの大きな柄は、締機の発達に合わせてうまれ、昭和の初期にかけては龍郷柄の全盛期でした。戦後は本土の問屋からの要望の柄などもあり、いろいろな柄の大島紬が作られるようになりましたが、龍郷柄はいつの時代でも変わらぬ人気で、今では代表的な古典柄とされています。

さて、いろいろな龍郷柄をみて冒頭の「龍郷柄とは？」の問いを考えてみました。

これらに共通するものは、①二つの違う紋様がセットになって展開している、②ソテツ葉模様が入っている、ということです。紋様の形はひし形が多く、少数ではありますが円形との組み合わせもあります。それらの文様を大小と組み合わせて、ソテツ葉模様で間をつないでいくと、いく通りもの龍郷柄が生まれ、明治時代後期から今に至るまで、人々に飽きられることなく愛されてきました。風車とそれを囲むソテツ葉模様の展開でできた龍郷柄は、まさに奄美の自然から生まれた素晴らしい柄です。これを生み出した先人に想(おも)いを馳せながら、龍郷柄よ永遠に、と願っています。

2 未来に残す大島紬

内山初美（あまみ～るクラブ代表）
（鹿児島大学国際島嶼教育研究センター・令和元年度客員研究員）

今回、鹿児島大学国際島嶼教育研究センターの令和元（二〇一九）年度客員研究員という立場で、「大島紬の柄（龍郷柄）の成り立ちと柄の変遷」というテーマで研究をする機会に恵まれました。それまでに私が収集していた資料を読み直し、また、奄美大島内の図書館、鹿児島大学内図書館、そして古本屋など、大島紬の名が載っている書物を探し、読み解きました。大島紬の柄の成り立ちや歴史について書かれた書物は、とても少ないと感じました。

二〇〇七年の九月から三年間、『南海日日新聞』に大島紬や奄美の染織文化についてのエッセーを掲載する機会がありました。その頃から、古い紬のリフォームの相談を受けることもあり、その際に持ち込まれた大島紬には、「自分の母が若い頃に織った大島紬」、「祖母が生前着けていたもの」など、個々にストーリーがありました。その際に、柄を見比べたり、生産時期を推測したりすることで、大島紬の生きた歴史を学ぶ喜びを感じ、書物からは得られない情報や知識を得ることができました。そして、機会あるごとに、地元に残る古い大島紬の大切さを訴えてきました。

最近、古い大島紬をお持ちの二人の方に出会う機会がありました。一枚目は、今まで私が見たことのない柄の男物の羽織でした。柄はとても細かく、丸い形がはっきりと浮かびあがっており、普段見る男物の柄とは明らかに違っていました。初めて見る柄に、興奮してすぐに柄名を調べました。『名瀬市誌　下巻』の古い端切れのサンプルと見比べていくと、これが紅葉チラシという名前の柄だとわかりました（写真11）。二枚目は、赤木名飛び柄（はつきな）という柄で、黒地に星や丸い形が整然とちりばめられ、その周りを小さなひし形や丸、四角などの形が囲むという、いかにも奄美の自然から写し取った形そのものの印象の柄です。これまで端切れや資料では目にしてきましたが、赤木名飛び柄の着物そのものを見たのは初めてでした。

今回出合った羽織と着物は、とても素晴らしく、大島紬の魅力を改めて感じさせるものでした。細かい絣で表す模様の美しさは、世界の織物と見比べても引けを取りません。現代の大島紬の形になるまでに、先人たちは知恵と時間と努力を惜しまず、改良に改良を重ね、より良い大島紬づくりに情熱を注いできたのでしょう。明治から昭和の初期にかけてその技術は、口伝で伝承されてきました。そのため柄の起こりや染織の技術改革などにそった布が、記録として残されているものは、その頃の隆盛に比べると、とても少ないのです。

今のところ確たる証拠はありませんが、前述の紅葉チラシと赤木名とび柄は、持ち主から聞いた話や資料を考察すると、大正時代のものではないかと思われます。今後、同じような柄の大島紬が出てきた際に、それぞれのストーリーと照らし合わせて分析することで、製造の時期や地域などの特定ができ、確証に近づかせることができるでしょう。

写真 11　紅葉チラシ。横幅に 72 個の丸い文様がある

今、明治から昭和に至る貴重な衣料が人知れず廃棄されていますが、大島紬の歴史を解明する最後の時期です。大島紬は絹織物のため、古ければ古いほど傷みやすいです。着用できないほど傷んでいるものは、価値がないと見なされ、捨てられてしまうことが多いです。しかし、どんなに傷みがひどくても、

切れ端であっても、柄を観るには差し支えなく、弱い所には洋裁用の接着芯を張り、資料として大切に保管できます。私たち自身のルーツを探るべく、古い貴重な織物に光を当て、島の財産として情報を共有するべきです。

そして当時の布の記録を残せなかった先代たちに変わり、これから出合う古い大島紬から、大島紬の歴史をひもとく必要があります。次の世代に伝えていくために、こうして集めた大切な資料を、一堂に収めた染織博物館の建設を望んでいます。それは、どこにもない細かな絣模様を織り出す大島紬を作り出した先人たちの努力と豊かな自然に報い、感謝することにつながると思うからです。まさに温故知新であり、その中から新しいものが生まれるきっかけにもなるでしょう。

3 「奄美民謡大賞」の憂鬱

梁川英俊（鹿児島大学法文学部）

南海日日新聞社主催の「奄美民謡大賞」に毎年通うようになってから、もう一〇年以上になります（写真12）。行けば必ず最初から最後まで聴きます。その昔、二日間にわたってやっていたときは、二日とも朝から晩までしっかりと聴いていました。この話をすると、「すごい忍耐力ですね」と感心されることがあります。半分呆(あき)れられるといったほうがいいかもしれません。しかし、島唄を聴くのは好きなので、座り疲れしたことはあっても、聴き疲れしたことはほとんどありません。

写真12　奄美民謡大賞の舞台

「奄美民謡大賞」については、これまで「いる」「いらない」から「出場する」「しない」まで、いろいろな意見を耳にしてきました。どれも一理ある意見ばかりだったように思います。ただ、個人的には毎年楽しみにしている恒例行事の一つですので、今後も続いていってほしいと願っています。

「奄美民謡大賞」はその前身を「奄美民謡新人大会」といいました。この大会の目的は明確でした。新人唄者の発掘です。当時よく行われていた島唄の大御所が集まる民謡大会は、顔ぶれが固定化して新鮮味がなくなっていたのです。第一回の「奄美民謡新人大会」が行われたのは一九七五年。優勝したのはまだ無名の築地俊造氏でした。ご存知のように、築地氏は一九七九年に「日本民謡大賞」を受賞して、見事民謡日本一に輝きました。これは当時の奄美にとっては大事件でした。

第二、第三の日本一を期待する声が高まり、「奄美民謡新人大会」は翌一九八〇年から「奄美民謡大賞」と改称され、「日本民謡大賞」の前哨戦として位置づけられることになります。奄美の島唄コンクールはここで、その目的を従来の新人発掘から一気に「民謡日本一」へと転換したわけです。「奄美一」はあくまでも通過点。「民謡日本一」こそが最終目標だというわけです。

しかし築地氏に続く第二の日本一はなかなか現れませんでした。ようやく当原ミツヨ氏が栄冠に輝いたのは一九八九年。築地氏の受賞から一〇年が経っていました。翌年、中野律紀氏が史上最年少で日本一になり、シマッチュは大いに溜飲を下げましたが、肝心の「日本民謡大賞」の方はバブル崩壊のあおりを受けて、一九九二年に廃止されてしまいます。「日本民謡大賞」は消えました。けれども、「奄美民謡大賞」は残りました。しかし、もともとの目的であった民謡日本一の前哨戦としての役割はなくなりました。民謡日本一の前哨戦の方は、今では「民謡民舞奄美連合大会」に譲った恰好です。

では、今日の「奄美民謡大賞」の目的とは何でしょうか？「奄美民謡大賞」はこの問いを一度もきちんと議論しないまま現在に至っているような気がします。そもそも予選も含めて何百人という参加者の中から、ただ一人を大賞として選ぶのは大変なことです。「奄美民謡大賞」の関係者の方々も、さぞや憂鬱だろうと拝察します。評価の多様性が当たり前になっている時代に、なぜ一律の評価基準で一番を選ばなければならないのでしょうか？　しかも、フィギュアスケートであれば採点基準が示されますが、「奄美民謡大賞」にはそれがありません。一番になった人は、何が悪くて二番だったのかよくわかりません。これでは選ぶ側も、選ばれる側も、また選ばれなかった側も憂鬱なままでしょう。

別に批判しているわけではありません。というのも、これは単に批判して済むような問題ではないからです。それどころか、「奄美民謡大賞」の問題は、もう一つの根本的な問いに結びついているように思えます。それは「島唄にとって最も大切なものとは何か？」という問いです。「他の民謡ではなく、島唄だからこそ大切なものとは何なのか？」。この問いは、民謡日本一を喜ぶのとは全く次元の違う問題です。

「奄美民謡大賞」がこれほど議論の的となるのは、シマッチュが日本一の呪縛から解放されて、「奄美にとって本当に大切なものとは何なのか？」という問いに本気で目を向け始めているからではないでしょうか？　もちろん、この問いに結論があるのかどうかはわかりません。けれども、そこで交わされる議論は、島唄にとっても、また奄美の将来にとっても決して無駄にはならないはずです。

4　島唄の新曲を！

梁川英俊（鹿児島大学法文学部）

鹿児島大学の講義で奄美島唄の話をすると、授業後の学生のレポートに必ず登場する曲があります。「ワイド節」です。というよりも、学生のレポートでそれ以外の曲はほとんど見たことがありません。島唄を全くといっていいほど知らない学生が知っている唯一の曲、それが「ワイド節」なのです。

「ワイド節」は中村民郎氏の詞に坪山豊氏が作曲して、昭和五三（一九七八）年に発表した曲です（写真13）。昭和三〇年代後半から五〇年代は、奄美観光ブームが追い風となって新民謡が盛んに作られました。作詞者の中村民郎氏も「アダンの花」などの新民謡の作詞を手がけています。ですから、「ワイド節」は正確には島唄ではなく、新作島唄とでも呼ばれるべき曲です。

その曲が今の若者にとって島唄の代名詞なのです。新作島唄が、知名度という点で本家の島唄を越えてしまったわけです。これは率直に大変なことだと思います。

新作島唄でよく歌われる曲は、「ワイド節」ばかりではありません。石原久子氏が山田米三氏の詞に作曲した「大島紬ぬうりぎゅらさ」や安田宝英氏の作詞・作曲による「喜界やよい島」なども、唄会や宴席ではよく歌われ、大いに座を盛り上げます。古い島唄はもちろんいいのですが、新しい島唄はメロディーが親しみやすく、なによりも一緒に歌えるのがいいです。

写真 13 「ワイド節」を歌う坪山豊氏

いうまでもないことですが、「島唄」という言葉の発祥は奄美です。けれども、残念ながら日本人の大半は、「島唄」といえば沖縄の民謡だと思い込んでいるようです。THE BOOMの「島唄」の影響もあるでしょうが、沖縄に親しみやすい新作民謡がたくさんあるということも大きいでしょう。沖縄の民謡歌手は本当によく曲を作ります。彼らが有利なのは、もともと音階が本土と違う琉球音階なので、どんな曲を作ってもみんな沖縄の曲になってしまうことです。しかも、聴いている方はそれが古い曲だと思い込んでしまいます。

坪山氏が新作島唄を作ることにさほど抵抗がなかったのは、沖縄の唄者と盛んに交流し、その活動を間近に見ていたことも大きいでしょう。当時は奄美と沖縄の唄者がジョイントする機会は、今よりもずっと多くありました。けれども、奄美で新しい島唄を作るとなると、沖縄のようにはいきません。音階が本土と同じだからです。下手をすれば、本土の民謡になってしまいます。島唄らしさ、奄美らしさをどう表現するか。なかなかの難問です。

民謡は、「古き皮衣に新しき酒を入れる」ことによって活性化されます。これは「ワイド節」の例を見てもわかるでしょう。島唄は幸い全国的に高い人気を得ていますが、新曲が作られたという話は寡聞にして聞きません。代わりに島唄風のポップスはたくさんできました。「こうしたポップスが今の島唄だと思えばいい」という意見もあります。しかし、ポップスはポップス、島唄は島唄です。奄美の島唄界を活性化するために、新しい島唄が必要なのではないでしょうか？

いきなり「ワイド節」のような名曲を作るのは難しいかもしれません。でも、いま活躍する若い唄者で、島唄の一つや二つ作れそうな人は結構いそうです。難しいのは、メロディーよりもむしろ歌詞なのかもしれません。でも、若い世代が自然な島口で気取らない日常を歌えば、きっといい唄ができるはずです。自分だけで作るのは気が重いということならば、共同作業でもいいでしょう。島唄はもともと詠み人知らずの歌ですから、案外その方が伝統に沿っているかもしれません。まず仲間内で披露し、評判がよければもっと広い聴衆に聞いてもらうというのもいいのではないでしょうか?

「簡単そうに言うな」と叱られるかもしれません。でも、「ワイド節」が奄美島唄を世に知らしめるうえでどれほど貢献したか、また今もしているかは、学生が知っている唯一の島唄が「ワイド節」であるという事実からも明らかでしょう。第二、第三の「ワイド節」を期待して、あえて無責任なことを書いてみた次第です。若い唄者の皆さん、気負わずにトライしてみてください!皆さんならきっといい曲が作れるはずです。

Ⅳ　おわりに

奄美群島に「歴史」はないのでしょうか。近年の考古学的成果によると、ヒトは三万年以前にこの島々に渡ってきました。日本本土にヒトが足を踏み入れたのは約三万五〇〇〇年前なので、本土とほぼ同時期にヒトが島へ到達したことになります。さらに驚くべきことに、彼らはこれほど古い時期に舟で島に渡ってきているのです。奄美群島の歴史はこの勇猛果敢な人間集団の到来から始まります。

しかし、奄美群島の歴史の大部分は文字のない時代で、この時代を理解するためには考古学および関連分野の学際的な研究が必要です。このようなアプローチにより、奄美群島の歴史は世界に匹敵し得る可能性があることが示唆されています。奄美群島の先史時代を理解するための新技術も導入され、新たな歴史的大発見が近い将来報告されることでしょう。

残念ながら奄美群島の歴史には「負」の遺産もありました。その際たるものが第二次世界大戦でしょう。日頃平和に暮らしている私たち（編者の一人は奄美大島在住）には島でこのような悲しい歴史があったことは頭に浮かびません。しかし、奄美群島には「負」の遺産も数多く存在します。戦争関連遺跡と呼ばれる遺跡（戦跡）です。戦争関連の情報は記録され、将来に伝えられなければなりません。それは「平和を守る」・「戦争をしない」という奄美群島のみならず人類共通の財産となるからです。

奄美群島には「文化」はないのでしょうか。ここにはここにしかない文化があります。その代表が「大島紬」と「島唄」でしょう。この二つは奄美群島の人たちのアイデンティティと言っても過言ではありません。世界の着物と比較しても遜色ない大島紬、島の人々のみならず国内外の人々をも魅了する島唄。島の誇りが、ここにもあります。大島紬と島唄の客観的な研究は諸についたばかりのようです。より客観的・多角的な研究により、大島紬と島唄の価値もさらに理解されることでしょう。奄美群島には「深い」歴史と「唯一無二」の文化があるのです。（編者）

V　参考文献

奥村　弘・村井良介・木村修二編『地域づくりの基礎知識1　地域歴史遺産と現代社会』神戸大学出版会、二〇一八年
新里貴之編『沖永良部島　鳳雛洞・大山水鏡洞の研究』鹿児島大学、二〇一四年
菅　豊・北條勝貴編『パブリック・ヒストリー入門』勉誠出版、二〇一九年
高宮広土『奇跡の島々の先史学　琉球列島先史・原史時代の島嶼文明』ボーダーインク、二〇二一年

高宮広土『島の先史学　パラダイスではなかった沖縄諸島の先史時代』ボーダーインク、二〇〇四年
高宮広土編著『奄美・沖縄諸島先史学の最前線』南方新社、二〇一八年
龍郷町誌歴史編編さん委員会編『龍郷町誌　歴史編』龍郷町、一九八八年
築地俊造・梁川英俊『楽しき哉、島唄人生　唄者築地俊造自伝』南方新社、二〇一七年
中村喬次『唄う舟大工　奄美坪山豊伝』南日本新聞社、二〇〇五年
名瀬市誌編纂委員会編『名瀬市誌　下巻』名瀬市役所、一九八三年
南日本新聞社編『記憶の証人〈戦後60年〉かごしま戦争遺跡』南日本新聞社、二〇〇六年
梁川英俊『奄美島唄入門』北斗書房、二〇二〇年
吉浜　忍『沖縄の戦争遺跡』吉川弘文館、二〇一七年
渡辺芳郎『近世トカラの物資流通　陶磁器考古学からのアプローチ』北斗書房、二〇一八年
渡辺芳郎編『奄美群島の歴史・文化・社会的多様性』南方新社、二〇二〇年

刊行の辞

鹿児島大学は、本土最南端に位置する総合大学として、伝統的に南方地域の研究に熱心に取り組み、多くの研究に成果をあげてきました。そのような伝統を基に、国際島嶼教育研究センターは鹿児島大学憲章に基づき、「鹿児島県島嶼域～アジア・太平洋島嶼域」における鹿児島大学の教育および研究戦略のコアとしての役割を果たす施設として、将来的には、国内外の教育・研究者が集結可能で情報発信力のある全国共同利用・共同研究施設としての発展を目指しています。

国際島嶼教育研究センターの歴史の始まりは、昭和五六年から七年間存続した南方海域研究センターで、その後昭和六三年から一〇年間存続した南太平洋海域研究センター、そして平成一〇年から一二年間存続した多島圏研究センターです。平成二二年四月に多島圏研究センターから改組され、現在、国際島嶼教育研究センターとして鹿児島県島嶼からアジア太平洋島嶼部を対象に教育研究を行っています。

鹿児島県島嶼を含むアジア太平洋島嶼部では、現在、環境問題、環境保全、領土問題、持続的発展など多岐にわたる課題や問題が多く存在します。国際島嶼教育研究センターは、このような問題に対して、文理融合的かつ分野横断的なアプローチで教育研究を推進してきました。現在までの多くの成果が様々な学問分野の発展に貢献してきましたが、今後は高校生、大学生などの将来の人材への育成や一般の方への知の還元をめざしていきたいと考えています。この目的への第一歩が鹿児島大学島嶼研ブックレットの出版です。本ブックレットが多くの方の手元に届き、島嶼の発展の一翼を担えれば幸いです。

二〇一五年三月

国際島嶼教育研究センター長

河合　渓

〔編者〕

山本　宗立（やまもと　そうた）

［略　　歴］

1980年三重県生まれ。京都大学大学院農学研究科博士課程修了、博士（農学）。2010年より鹿児島大学国際島嶼教育研究センター准教授。専門は民族植物学・熱帯農学。

［主要著書］

『ミクロネシア学ことはじめ　魅惑のピス島編』（南方新社、2017年、共編著）、『ミクロネシア学ことはじめ　絶海の孤島ピンゲラップ島編』（南方新社、2019年、共編著）、『唐辛子に旅して』（北斗書房、2019年）など。

高宮　広土（たかみや　ひろと）

［略　　歴］

1959年沖縄県生まれ。University of California, Los Angeles（UCLA）博士課程修了 Ph.D.in Anthropology。2015年より鹿児島大学国際島嶼教育研究センター教授。専門は先史人類学。

［主要著書］

『琉球列島先史・原史時代における環境と文化の変遷に関する実証的研究研究論文集第１・２集』（六一書房、 2014 年、共編著）、『奄美・沖縄諸島先史学の最前線』（南方新社、2018年、編著）、『奇跡の島々の先史学　琉球列島先史・原史時代の島嶼文明』（ボーダーインク、 2021年）など。

鹿児島大学島嶼研ブックレット　№15

魅惑の島々、奄美群島－歴史・文化編－

2021年3月22日　第1版第1刷発行

発行者　鹿児島大学国際島嶼教育研究センター
発行所　北斗書房
〒261-0011　千葉市美浜区真砂4-3-3-811
TEL&FAX　043-375-0313

定価は表紙に表示してあります

ISBN978-4-89290-057-0 C0039